FECH... LA ...

12 de octubre de 1492

Colón *llega a* América

FECHAS PARA LA HISTORIA

12 de octubre de 1492

Colón *llega a* América

John Malam

EVEREST

Título original: *12 October 1492*
Columbus reaches the Americas
Traducción: Liwayway Alonso Mendoza

First published by Cherrytree Book (a member of the Evans Publishing Group), 2A Portman Mansions, Chiltern Street, London W1U 6NR, United Kingdom

Carretera León-La Coruña, km 5 - LEÓN
ISBN: 84-241-1600-3
Depósito legal: LE. 991-2004
Printed in Spain - Impreso en España
EDITORIAL EVERGRÁFICAS, S. L.
Carretera León-La Coruña, km 5
LEÓN (España)
Atención al cliente: 902 123 400
www.everest.es

Picture credits:
The Ancient Art & Architecture Collection: 16, 29, 39
the art archive: 10, 11, 14, 19, 23, 24, 25, 32, 35
The Bridgeman Art Library: cubierta, 9, 20, 21, 22, 26, 28, 30
Corbis: 7, 15, 17, 18, 27

Sumario

Un trampolín hacia el nuevo mundo

El océano Atlántico es un mar inmenso, que separa los continentes europeo y africano de América del Norte y del Sur. Hoy en día se trata de una concurrida autovía que miles de barcos recorren al año. La gente que navega en esos barcos sabe hacia dónde va y cuánto durará su viaje. Pero las cosas no siempre fueron así.

Una embarcación europea del siglo XV.

Hace siglos, los marineros europeos temían cruzar el océano Atlántico. Las olas de ese mar rompían contra las costas de España, Portugal, Francia y Gran Bretaña, pero nadie sabía qué tierras se encontraban al otro lado del imponente océano, si es que había alguna. La idea de adentrarse en el ancho mar, navegando en dirección oeste, sin ver tierra firme, aterraba a los marineros. Significaba navegar hacia lo desconocido, sin saber qué

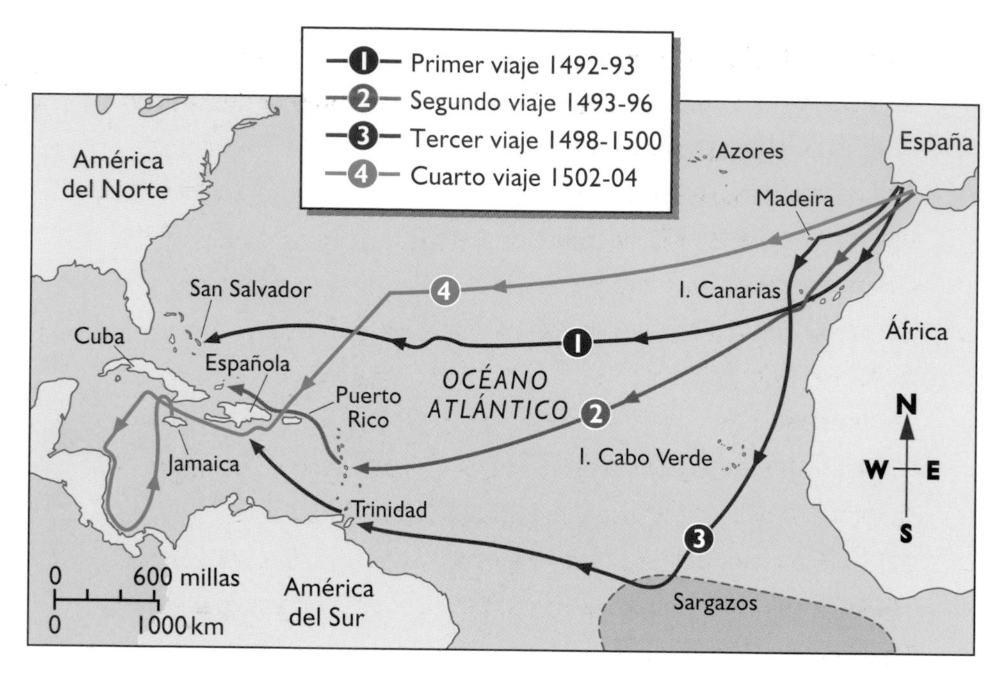

Los cuatro viajes atlánticos realizados por Cristóbal Colón.

podían encontrar y enfrentándose al riesgo de no volver a sus hogares nunca más.

A lo largo del siglo XV, una idea audaz empezó a extenderse por Europa. La gente comenzaba a pensar que el océano Atlántico se podía atravesar. Pensaban que el continente asiático se hallaba al otro lado del inmenso mar y que, cruzando el mar hacia el oeste, la ruta era mucho más rápida que dirigiéndose por tierra hacia el este. Asia ofrecía mercancías, como por ejemplo **especias** y seda, que eran muy apreciadas en Europa. El país que consiguiera encontrar un "atajo" hacia Asia se haría inmensamente rico.

Cristóbal Colón era uno de esos hombres que se sentían atraídos por la idea de llegar hasta Asia cruzando el Atlántico en barco. Con una mezcla de decisión, habilidad y valentía, Colón navegó hacia las páginas de la historia cuando, el 12 de octubre de 1492, después de 37 días de navegación, desembarcó en una diminuta isla. Era una isla que ningún europeo había visto jamás. Al cruzar el gigantesco océano Atlántico, Colón estaba convencido de que había encontrado una ruta hacia Asia, o hacia las **Indias**, como la llamaban los europeos. En realidad, había llegado a un lugar completamente diferente, y la isla que bautizó con el nombre de San Salvador no era un trampolín hacia Asia, sino hacia un mundo completamente nuevo: los continentes de América de Norte y del Sur.

Cristóbal Colón, el navegante italiano que cruzó el Atlántico hasta las Américas.

Colón se embarca

Colón nació en 1451, en la ciudad de Génova, al noroeste de Italia. Los padres del niño, Domenico y Suzanna, le llamaron Cristoforo. En inglés se le conoce como Christopher Columbus y en español es Cristóbal Colón.

El padre de Colón era tejedor y comerciante de lanas. Siguiendo con la tradición, como hijo primogénito (había cuatro niños menores en la familia), Cristóbal aprendió el oficio de su padre. Tras una educación muy básica, comenzó su vida laboral siguiendo los pasos de su padre.

Colón creció en una región de la costa italiana. Génova, su ciudad natal, era un puerto de mar concurrido y próspero.

Comerciantes de lana en Italia, hacia 1400.

Las familias de comerciantes que dirigían la ciudad comerciaban con muchos bienes, casi todos trasladados por mar hasta Génova desde los puertos de toda Europa y África del Norte.

La ciudad y el puerto de Génova en tiempos de Colón.

Sus barcos navegaban por todo el Mediterráneo, negociando con mercancías para vender, y para los habitantes de Génova formaban parte del paisaje.

Puede que el padre de Colón quisiera aprovechar los lazos tan estrechos que su ciudad tenía con el mar. Puede que quisiera que su negocio prosperara, importando mercancías del extranjero. Puede que animara a su hijo a interesarse por el mar y por todo lo que el mar podía ofrecerle. Cualquiera que fuera el motivo, en 1465, Cristóbal Colón se embarcó por primera vez, a los catorce años.

Viajeros anteriores a Colón

Aunque a menudo se dice que Cristóbal Colón descubrió América, esto dista mucho de ser cierto. La tierra a la que Colón llegó en 1492 había sido descubierta mucho antes de su llegada.

Las primeras pueblos que llegaron al continente norteamericano lo hicieron unos 15.000 años antes. Algunos grupos de **cazadores y recolectores** llegaron hasta allí desde Asia por un brazo de tierra que unía los dos continentes, en la zona en la que hoy en día se encuentra el estrecho de Bering. Les gustó la nueva tierra que habían encontrado, y se instalaron allí. Hace unos 13.000 años, estos viajeros prehistóricos habían avanzado por América del Norte hasta llegar al continente de América del Sur. De aquellos pobladores antiguos surgieron las culturas nativas de los dos continentes americanos.

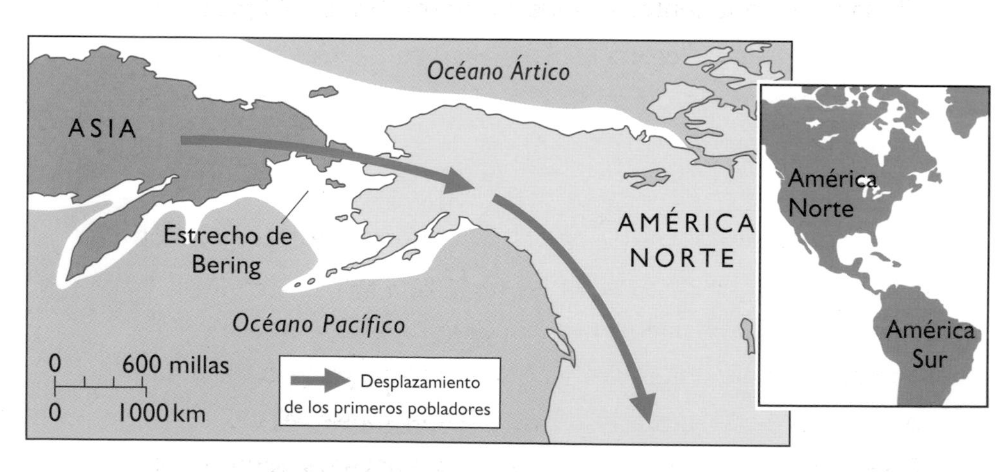

La ruta original hacia América del Norte, a través de un puente terrestre que unía el continente con Asia.

Un barco vikingo, como los que llegaron a América del Norte.

En cuanto a la ruta hacia América a través del Atlántico, ya había sido realizada por Leif Ericsson, un vikingo que desembarcó allí hacia el año 1000. Unos 15 años antes de la llegada de Ericsson, otro vikingo, Bjarni Herjulfsson, había divisado el continente, aunque sin desembarcar. Al parecer, aquellos vikingos llegaron a América por accidente, cuando sus barcos se salieron de su ruta de navegación, en dirección a Groenlandia.

La diferencia principal entre estos primeros viajeros y Colón es que Colón tenía un objetivo claro en mente, cuando inició su famoso viaje. Pretendía demostrar a sus compatriotas europeos que el Atlántico se podía cruzar, y que al otro lado había tierra. Su "descubrimiento" de América abrió el camino para que los europeos colonizaran las Américas.

El comercio de especias

Las especias eran una de las mercancías más preciadas por los comerciantes europeos. Hoy en día, nos resulta difícil imaginar lo importante que fue el comercio europeo de especias. Para nosotros, las especias son fáciles de encontrar, y resulta barato conseguirlas. En la **Edad Media**, cuando las especias llegaron a Europa por primera vez, Europa no conocía nada parecido al sabor de la canela, la casia, el cardamomo, el jengibre, la cúrcuma, la nuez moscada, el clavo y, sobre todo, la pimienta. Éstas y otras especias se cultivaban en lejanos lugares de Asia, en sitios como China, la India y las Molucas de Indonesia, conocidas como "Islas de las Especias".

La planta de la pimienta, de donde se obtiene la pimienta negra.

Durante muchos siglos, los mercaderes árabes habían transportado las especias asiáticas por tierra, hasta los mercados de Oriente Medio y África del Norte. En el siglo XII,

Los mercaderes árabes transportaban las especias por tierra, en camellos.

los soldados y los peregrinos europeos visitaban la región de África del Norte, que era llamada Tierra Santa (Palestina), donde probaban la comida especiada por primera vez. Impresionados por los nuevos sabores, regresaban a Europa con pequeñas cantidades de especias.

Los mercaderes de las ciudades italianas de Génova y Venecia enseguida encontraron la manera de sacarle partido a la nueva afición europea por las especias. Enviaban madera, naranjas, limones y lana a los mercados de Alejandría, en Egipto y de Aleppo, en Siria, y regresaban con cargamentos de especias y otras mercancías exóticas.

En tiempos de Colón, el comercio de especias ya era un negocio floreciente y la búsqueda de una ruta por mar, hacia las misteriosas tierras de las especias, una gran empresa.

Naufragio en el Atlántico

Los primeros viajes por mar de Cristóbal Colón fueron todos por los mares Mediterráneo y Egeo. Eran aguas conocidas por los mercaderes europeos y seguramente Colón ganaba confianza cada vez que navegaba por ellos. Quizá fue entonces cuando adquirió sus habilidades como **navegante**, puesto que la lectura de mapas y el trazado de una ruta de navegación son tareas fundamentales para un marinero.

Uno de sus viajes, a los 23 años más o menos, llevó a Colón a Quíos. Esta isla, al este del mar Egeo y cerca de Turquía, pertenecía a Génova. Era famosa como fuente de **almáciga**, una goma o resina de olor dulce procedente de la corteza del árbol del mismo nombre. La almáciga se utilizaba en las misas y los médicos lo empleaban como medicamento: Colón recogió su uso como cura para el **cólera**. Colón permaneció en Quíos durante un año, aunque el motivo no ha quedado muy claro. Es posible que estuviera organizando una empresa propia.

Una herramienta antigua de navegación llamada astrolabio.

En agosto de 1476, Colón participó en una expedición comercial con otros mercaderes de Génova. Pretendían navegar hasta Gran Bretaña con una flota de cinco barcos mercantes, pero jamás llegaron a su destino. La flota pasó por el estrecho de Gibraltar, dejando atrás el Mediterráneo y entrando en el océano Atlántico.

Cuando las naves rodeaban la costa sur de Portugal, fueron atacadas por piratas franceses. La nave de Colón naufragó, y él fue el único superviviente, porque pudo agarrarse a unos restos del naufragio y nadar hacia la costa. Aquella fue su primera experiencia en el Atlántico.

Una vista del estrecho de Gibraltar.

Viejos mapas y leyendas de marinos

Colón tenía 25 años cuando el naufragio le arrastró hasta las costas del sur de Portugal. Desde allí viajó hacia Lisboa, la capital del país. Lisboa era una ciudad próspera, y en ella vivían muchos genoveses, entre ellos el hermano pequeño de Colón, Bartolomé, que trabajaba como librero y distribuidor de mapas. Colón le ayudó en su negocio, y pronto los dos hermanos se hicieron famosos por los mapas que dibujaban y vendían.

En 1477, Colón se unió a una flota de barcos mercantes que navegaban desde Lisboa hasta el Atlántico Norte, donde es posible que visitara Islandia. Puede que en Islandia escuchara alguna leyenda que hablaba de la tierra que se encontraba hacia el oeste, al otro lado del Atlántico, que había sido

La isla de Madeira.

visitada por los vikingos unos 500 años atrás: la tierra que llegaría a ser conocida como América. No es seguro que Colón llegara a escuchar esas leyendas **nórdicas** tradicionales pero, si lo hizo, es probable que después no las olvidara.

Colón regresó a Portugal, y en 1478 o 1479 se casó con una noble portuguesa, Felipa Perestrello e Moniz. Se marcharon a vivir a Madeira, una isla del Atlántico cercana a la costa de África, donde el hermano de Felipa era **gobernador**. El padre de ella había navegado con Enrique el Navegante (1394-1460), un explorador portugués que se aventuró por el Atlántico y consiguió llegar hasta las Islas Azores (ver el mapa de la página 20). Estudiando los mapas y diarios de su suegro, Colón aprendió muchas cosas acerca del Atlántico y sus corrientes. Durante la década de 1480, en varios viajes por la costa atlántica de África, pudo reunir aún más información: una información que resultó ser de vital importancia para el viaje que estaba planeando.

Enrique el navegante, un antiguo explorador portugués.

La Compañía de las Indias

Colón, como muchos otros navegantes de su época, deseaba encontrar una ruta marítima directa hacia Japón, China e Indonesia, de donde procedían las especias, las piedras preciosas y el oro. Los europeos llamaron a esa región "las Indias". Una ruta marítima directa permitiría a los mercaderes europeos comprar las mercancías directamente a quienes las producían, en lugar de comprarlas a los comerciantes árabes que controlaban la ruta terrestre, y los beneficios de los mercaderes aumentarían.

Aunque algunas personas pensaban que se podía llegar a las Indias rodeando África, Colón pensaba que había otra

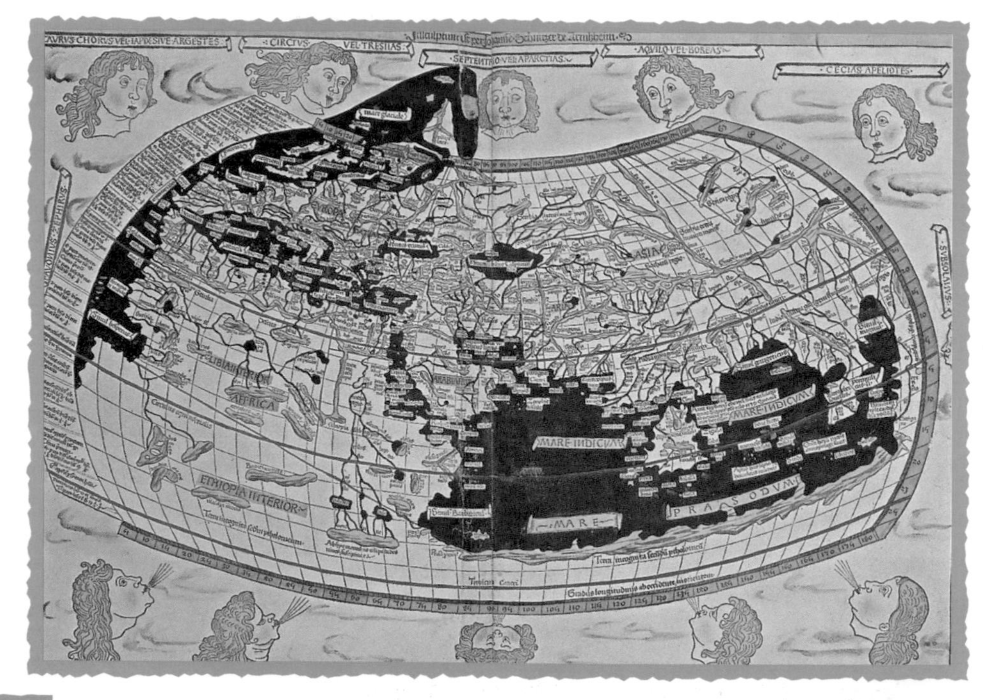

El mapa del mundo de Ptolomeo, trazado en el siglo II dC.

manera de llegar hasta allí. Había estudiado los libros y mapas de Claudio Ptolomeo (c. 90-c.168 dC), un geógrafo griego que sostenía que el mundo era redondo, así como los relatos de los viajes de Marco Polo (1254-1324) a China. Puede que también viera el mapa trazado por el geógrafo italiano, Paolo Toscanelli (1397-1482), que mostraba las Indias a unos 4.800 kilómetros (3.000 millas) al oeste de Europa y África. Hoy en día, sabemos que aquellos cálculos estaban equivocados. El mundo era mucho mayor de lo que nadie había imaginado y las Indias (Asia) están mucho más hacia el oeste. Resultó que había tierra justo donde Toscanelli y Colón esperaban encontrarla, pero no se trataba de las Indias.

Cuando Colón encajó toda la información que había reunido, se convenció de que era posible llegar a las Indias cruzando el Atlántico. Un plan grandioso cobró forma en su mente, al que llamó "La Compañía de las Indias". Lo único que necesitaba era a alguien que creyera que su empresa era posible, y que la pagara.

Un globo fabricado en 1492. Muestra Europa, África y Asia, pero no las Américas.

La búsqueda de un patrocinador

En 1484, Colón presentó su plan, "La compañía de las Indias" al rey Juan II de Portugal. Buscaba el apoyo protugués para su proyecto, sobre todo porque sabía que, entre todas las naciones europeas de navegantes, Portugal era quien ya había recorrido la mayor parte del camino para encontrar una ruta marítima hacia las Indias, buscando la forma de rodear África. Su matrimonio con una noble portuguesa también le había proporcionado los contactos con el gobierno de Portugal y su corte.

El rey Juan II de Portugal.

Colón seguramente tenía grandes esperanzas de recibir ayuda por parte de Portugal, pero no fue así. El rey sometió el plan de Colón a una junta de expertos, que lo rechazó basándose en que las Indias estaban mucho más hacia el oeste de lo que decía Colón, y en que sería demasiado caro llevarlo a cabo.

Al año siguiente, en 1485, murió la mujer de Colón. Puede que Colón sintiera que sus lazos con Portugal se habían roto y, como ya no tenía motivos para permanecer allí, se trasladó a España con su hijo de cinco años, Diego.

En 1486, Colón presentó su plan a los reyes de España, Fernando e Isabel. De nuevo, el plan se sometió a una junta de expertos y fue rechazado. Pero Colón no quiso rendirse. En 1488, el rey Juan II de Portugal examinó el plan por segunda vez y de nuevo lo rechazó, como hicieron también los reyes de Francia e Inglaterra. En abril de 1492, ocho años después de proponer su plan por primera vez, la perseverancia de Colón por fin fue recompensada, cuando Isabel y Fernando cedieron y tomaron la determinación de apoyarle en su aventura.

Colón presenta su plan a los reyes de España.

Primer viaje: 1492-1493

Colón negoció bien con sus patrocinadores españoles. No sólo exigió ser el capitán de la expedición, sino que también quería ser gobernador de todas las nuevas tierras que descubriera. También pidió una parte de todo el dinero que se ganara con el comercio de bienes con las nuevas tierras.

El puerto de Palos, en el sudoeste español, se convirtió en el cuartel general de la expedición. Colón tomó el mando de tres pequeñas carabelas: la *Pinta*, la *Niña* y su buque insignia, la *Santa María*. Ninguna de las naves medía más de 24.4 metros (80 pies) de largo. El 3 de agosto de 1492, las

Las tres carabelas de Colón, que atravesaron el Atlántico en 1492.

embarcaciones partieron de Palos. A bordo iban unos 90 hombres y suficientes provisiones para un viaje de 12 meses.

Colón vio muchas especies nuevas y desconocidas de vida salvaje en sus viajes de descubrimiento, entre ellos el ave fragata, que rara vez se posa en tierra.

Colón planeó una ruta hacia el sur, en dirección a las Islas Canarias, al oeste de la costa africana. Allí recogieron provisiones frescas y, el 6 de septiembre, las embarcaciones se pusieron en marcha de nuevo, aprovechando la veloz corriente canaria que llevaba hacia el Atlántico. Sólo podemos imaginar las preocupaciones que cruzaron las mentes de los marinos el 9 de septiembre, el día que perdieron de vista la tierra en el horizonte. Desde entonces navegaron hacia el oeste, hacia el desconocido mar abierto.

Diez días después de abandonar las Islas Canarias, la flota navegó hacia una gran masa de algas flotantes. El viento dejó de soplar y comenzaron a avanzar más despacio. Fueron momentos complicados y desesperantes, y se se hablaba de un **motín** entre los marineros, pero Colón les convenció para no regresar. Las carabelas siguieron navegando.

El encuentro entre dos mundos

A las dos en punto de la madrugada del 12 de octubre de 1492, Rodrigo de Triana estaba de **vigía** en la Pinta. El mar brillaba iluminado por la luna, y en la distancia se divisó una forma sombría. "¡Tierra! ¡Tierra!", gritó el hombre. Eran las palabras que todos deseaban oír desde hacía 37 días, desde que la flota había salido de las Islas Canarias.

Más tarde, aquel mismo día, Colón y un grupo de hombres bajaron a tierra, llevando consigo los estandartes del rey y la reina españoles. Desembarcaron en una pequeña isla, y Colón tomó posesión de ella en nombre de España y la bautizó como San Salvador, en honor de Jesucristo Salvador.

Colón y sus hombres desembarcan en el "Nuevo Mundo".

Había desembarcado en una isla de las Bahamas, a muy poca distancia de las Américas. Durante tres meses, Colón exploró aquella isla y otras islas del mar Caribe, y cada vez estaba más convencido de que se encontraba en las Indias (creía que Cuba era China continental). Entonces, en nochebuena, la *Santa María* encalló cerca de una isla a la que Colón había llamado La Española (hoy en día Haití y la República Dominicana).

Con la madera de la nave encallada, 40 de los hombres de Colón construyeron el fuerte de Navidad en La Española y se trasladaron allí: eran los primeros **colonos** que se asentaban en las Américas desde los tiempos de los vikingos. Prometiendo que regresaría a buscarles, Colón comenzó el viaje de vuelta a casa, a España, con la *Pinta* y la *Niña*, el 4 de enero de 1493.

Este monumento a Cristóbal Colón se encuentra en la isla de San Salvador.

Segundo viaje: 1493-1496

Colón llegó a España en marzo de 1493. Les contó al rey Fernando y a la reina Isabel que había encontrado las Indias, les regaló oro, loros de colores y hasta **indios** que habían regresado a Europa con él.

Aquellos regalos exóticos traídos de sus viajes crearon una gran expectación en España, y pronto se organizó un segundo viaje. El 25 de septiembre de 1493, Colón partió de Cádiz, en España, con 17 naves y unos 1.200 soldados y gente corriente. Muchos de ellos pensaban asentarse como colonos en las Indias. Llevaban consigo ganado, simiente y herramientas. Pensaban regresar al fuerte de la Navidad, en La Española, y construir un asentamiento mayor y más permanente.

Colón presenta sus regalos a los reyes de España.

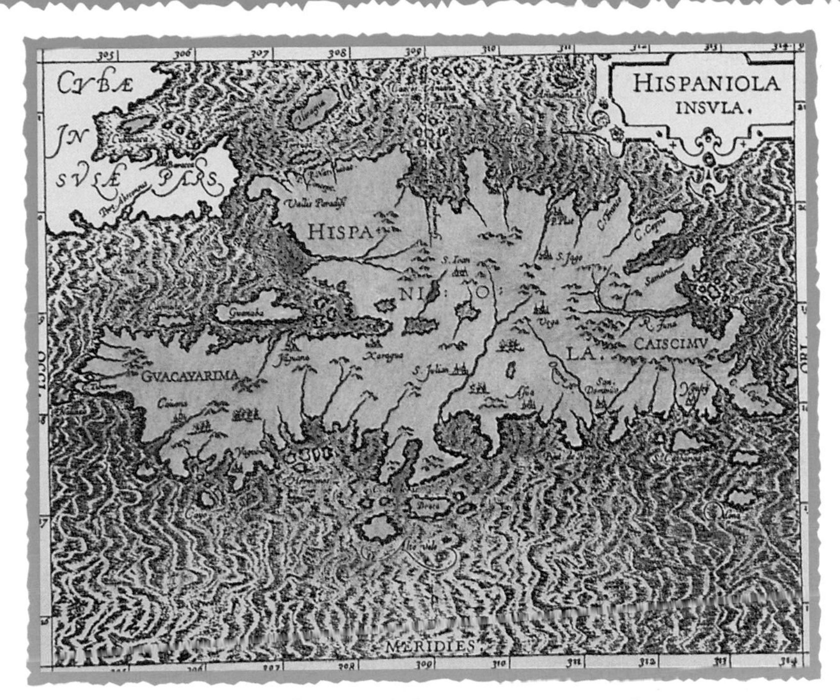

La Isla de La Española, en un mapa antiguo.

Sin embargo, a llegar a la Navidad, descubrieron que el asentamiento había sido destruido por los **nativos** de la isla, como respuesta a la crueldad de los colonos. En su lugar se construyó un nuevo asentamiento, la Isabela. Pronto los colonos españoles se pusieron a buscar oro. No encontraron gran cosa, y enseguida se extendió el descontento. Entretanto, las relaciones entre los colonos y los nativos se estaban complicando. Las luchas eran frecuentes, y los españoles redujeron a muchos nativos a la esclavitud.

Al final, algunos colonos escribieron cartas a su país quejándose de Colón y de las condiciones en que se encontraba la isla. Se envió a un funcionario para investigar, y a Colón no le quedó otro remedio que regresar a España, a defender su nombre y su reputación.

Tercer viaje: 1498-1500

A pesar de las quejas contra Colón, lo que más interesaba a los reyes Fernando e Isabel era saber de qué tierras había tomado posesión en nombre de España, porque sabían que aquellas nuevas colonias podían suponer una gran riqueza para España. Le permitieron dirigir una tercera expedición, pero la nueva flota tardó dos años en estar preparada.

Colón inicia su tercer viaje.

Colón comenzó su tercer viaje hacia las Indias, el 30 de mayo de 1498, partiendo desde Sevilla, España, con seis naves. Tres de ellas se dirigieron directamente hacia La Española, pero las otras tres se dirigieron hacia el sur, mucho más lejos de lo que Colón había llegado jamás. Esperaba descubrir por fin la China continental. En lugar de eso, navegó hasta una zona cercana al **ecuador**, donde el mar estaba

La isla de Trinidad, donde desembarcó Colón en 1498.

en calma y no soplaba el viento. Más tarde, aquel punto del Atlántico recibió el apodo de los "**sargazos**".

Al cabo de una semana, se levantó el viento y las naves pudieron navegar por el Atlántico hasta una isla donde había tres montañas. Colón la llamó Trinidad. Cerca de allí había una gran extensión de tierra. Colón pensaba que por fin había llegado a un continente, y en una carta a Fernando e Isabel escribió: "Creo que se trata de un continente muy grande que hasta ahora era desconocido". Tomó posesión de la nueva tierra en nombre de España. Aunque no lo sabía, Colón había llegado al nordeste de Sudamérica, a la Venezuela actual.

Colón regresó a La Española, donde encontró a los colonos luchando entre sí. Fue acusado de perder el control de la colonia española y un nuevo gobernador fue enviado para hacerse cargo de la situación. En octubre de 1500, Colón fue arrestado, encadenado y enviado de vuelta a España.

Cuarto viaje: 1502-1504

A su llegada a España, Colón fue liberado de sus cadenas. Aún tenía el apoyo de Isabel y Fernando pero, en su ausencia, un explorador portugués llamado Vasco de Gama había conseguido rodear África y llegar hasta la India. Fue una revolución en el mundo de la exploración. Ahora muchas personas estaban convencidas de que Colón no había llegado a las Indias. En lugar de eso, había llegado a otro lugar, un "nuevo mundo", desconocido para todos los europeos.

Colón no estaba de acuerdo con eso, y se mostraba más decidido que nunca a probar a sus críticos que había encontrado las Indias cruzando el Atlántico. Al mando de una cuarta expedición, recibió por parte de Isabel y Fernando la orden de buscar oro, piedras preciosas, especias y otros artículos valiosos. El 11 de mayo de 1502, partió de Cádiz con cuatro naves y 150 hombres. En tan sólo 20 días de navegación la

Vasco de Gama (1460-1524) fue el primer europeo en llegar a Asia por barco.

flota había alcanzado el mar Caribe, y durante los meses siguientes Colón estuvo buscando una ruta para llegar hasta las Indias. Jamás llegó a encontrarla. Y, lo que es peor, se vio obligado a **fondear** sus naves en Jamaica, donde, durante un año entero, tuvo que esperar para ser rescatado. Regresó a España en noviembre de 1504.

Tras cuatro viajes épicos, Colón tenía mala salud, y sus expediciones habían llegado a su fin. En los últimos años de su vida pidió al gobierno español que le devolviera su título de gobernador de La Española, pero se lo negaron. Sin embargo, se le pagaba una parte del dinero correspondiente a las mercancías procedentes de sus viajes. Colón murió en la ciudad española de Valladolid, el 20 de mayo de 1506. Era un hombre rico pero amargado, y seguía convencido de que había llegado a las Indias.

La catedral de Sevilla, en España, donde se cree que está enterrado Colón.

El legado de Colón

Históricamente, se considera a Cristóbal Colón como el puente que unió dos mundos diferentes; mundos que no estaban destinados a vivir en paz y amistad. Las naciones marineras de Europa querían explorar las tierras a las que había llegado Colón, y en los años posteriores a su muerte muchos colonos llegaron hasta ellas. Casi todos iban con la esperanza de encontrar oro y otras cosas valiosas, sin preocuparse por los nativos ni por su cultura. Muchos nativos fueron reducidos a la esclavitud, y muchos otros murieron a causa de enfermedades llegadas de Europa.

El hábito de fumar tabaco llegó a Europa desde las Américas.

El oro no fue lo único que se envió de vuelta a Europa. Comidas desconocidas, como las patatas, los tomates, el maíz y las piñas fueron recibidas por el mercado con entusiasmo. También se introdujeron los pavos, así como el tabaco, que los europeos comenzaron a fumar en pipas, imitando las costumbres de los nativos.

América del Norte y del Sur, en un mapa de 1650.

A Colón siguieron otros exploradores. En 1502, Américo Vespuccio (1451-1512), un explorador italiano que navegó bajo las banderas de España y de Portugal, recorrió toda la longitud del continente al que Colón había llegado en su tercer viaje. Vespuccio escribió que era el **Nuevo Mundo**, acabando de una vez por todas con la idea de que se trataba de China. Fue el primero en llamarlo así. En 1507, sólo cinco años después de la muerte de Colón, el cartógrafo alemán, Martin Waldseemuller, trazó un mapa del mundo. Recogía la costa del "Nuevo Mundo" de Vespuccio, al que llamó "América" en honor de Américo Vespuccio. Se quedó con ese nombre. Por un cruel giro del destino, las Américas no llevarían el nombre de Colón, el hombre que había abierto la ruta marítima hacia ellas.

AFRICA
ETHIOPIA INTERIOR

Cronología

1451	Nace Cristóbal Colón en Génova, Italia.
1465	Se embarca por primera vez; navega por el Mediterráneo.
1476	Naufraga en plena batalla cerca de Portugal y llega a nado hasta la costa; se reúne con su hermano Bartolomé en Lisboa, Portugal.
1477-82	Realiza viajes comerciales a Islandia y Guinea, África occidental.
1478/79	Se casa con Felipa Perestrello e Moniz, una noble portuguesa.
1484	El rey Juan II de Portugal rechaza su solicitud de patrocinio para cruzar el Atlántico.
1485	Muere su mujer; él se traslada a España.
1492	*Abril* Fernando e Isabel le conceden su apoyo para una expedición atlántica.
	3 de agosto Inicia su primer viaje, desde Palos, España, con tres naves.
	12 de octubre Llega a las Américas, a la isla de San Salvador, Bahamas.
	Octubre-Diciembre Llega a Cuba y La Española; funda la colonia de Navidad, en La Española (hoy en día Haití y la República Dominicana).
1493	*15 de marzo* Regresa a España.
	25 de septiembre Parte en su segundo viaje, desde Cádiz, España, con diecisiete naves.
	Noviembre-mayo Llega a Jamaica; funda la colonia la Isabela, en La Española.

1496 *11 de junio* Vuelve a España.

1498 *30 de mayo* Parte en su tercer viaje, desde Sevilla, España, con seis naves.

Julio Desembarca en el continente sudamericano, en Venezuela.

1500 *Octubre* Es arrestado y enviado de vuelta a España, atado con cadenas.

1502 *11 de mayo* Parte en su cuarto viaje, desde Cádiz, España, con cuatro naves.

1503 *25 de junio* Las naves encallan en la costa de Jamaica

1504 *7 de noviembre* Regresa a España.

1506 *20 de mayo* Muere en Valladolid, España.

AFRICA
ETHIOPIA INTERIOR

Glosario

MAR
DEL
MAR
DEL
ZUR
OCEANUS
CIRCULUS AQUINOCTIALIS
TENTRIONALIS

almáciga Una pasta o resina de olor dulce que se elabora a partir de la corteza del árbol del mismo nombre.

cazadores y recolectores Personas que llevan una existencia nómada, cazando animales y recogiendo plantas salvajes.

cólera Una enfermedad infecciosa que provoca un gran malestar y con frecuencia es mortal.

colono Una persona que se asienta en una colonia, normalmente en una tierra extranjera.

ecuador Una línea imaginaria que divide la Tierra en dos, entre el Polo Norte y el Polo Sur.

Edad Media En Europa El período que va entre los años c.450 y 1450 dC.

especia Una sustancia, por lo general obtenida de partes secas de una planta, de fuerte sabor u olor, empleada para condimentar los alimentos.

fondear Asegurar una embarcación mediante un ancla o peso al fondo del mar.

gobernador Una persona a cargo de una institución, como por ejemplo una colonia.

Indias El nombre que los europeos daban antiguamente a la parte del mundo que ahora se conoce como Asia.

indios El nombre que los europeos daban antiguamente a los nativos de la parte occidental del mundo.

La Especiería El nombre que los europeos daban a las Molucas de Indonesia, un grupo de islas conocido por las especias que producían.

motín Cuando los marineros se rebelan contra los oficiales y toman el mando de la nave.

nativos Así se llama a la raza de personas nacidas u originarias de un lugar.

navegante Un marinero cuya tarea es trazar el rumbo que tomará una embarcación.

nórdico El nombre genérico que se da a los países de Escandinavia (especialmente a Noruega) y al lenguaje de sus habitantes.

Nuevo Mundo El nombre que los europeos dieron a América del Norte y del Sur. Era lo contrario del Viejo Mundo, que comprendía los continentes conocidos: Europa, África y Asia.

prehistórico El nombre que se da al período de la historia anterior a la aparición de la palabra escrita.

sargazos Una zona en cualquier mar cerca del Ecuador, donde el agua está en calma, no hay viento y la temperatura es alta.

vigía Una persona en una nave cuya misión es vigilar para detectar tierra, naves o peligro en el mar.

vikingos Un pueblo marinero de Escandinavia, durante el período c.700-1100 dC.

AFRICA
ETHIOPIA INTERIOR

Índice analítico